Bookshelf Cats

Two - Year - Plus Pocket Planner

August 2026 ~ December 2028

If Lost Please Return To:

Published by Sellers Publishing, Inc.
For more information regarding this and other products:
WWW.MAKEFUN.COM | RSP@RSVP.COM | (800) 625-3386

Astronomical information is in Eastern Time and Daylight Saving Time.
Key to abbreviations: United States (US), Canada (CAN), United Kingdom (UK), England (ENG), Scotland (SCT), Northern Ireland (NIR), Ireland (IRL), Australia (AUS), South Australia (SA), Western Australia (W. Australia), New South Wales (NSW), Australian Capital Territory (ACT), New Zealand (NZ).

2026

JANUARY

S	M	T	W	T	F	S
				1	2	3
4	5	6	7	8	9	10
11	12	13	14	15	16	17
18	19	20	21	22	23	24
25	26	27	28	29	30	31

FEBRUARY

S	M	T	W	T	F	S
1	2	3	4	5	6	7
8	9	10	11	12	13	14
15	16	17	18	19	20	21
22	23	24	25	26	27	28

MARCH

S	M	T	W	T	F	S
1	2	3	4	5	6	7
8	9	10	11	12	13	14
15	16	17	18	19	20	21
22	23	24	25	26	27	28
29	30	31				

APRIL

S	M	T	W	T	F	S
			1	2	3	4
5	6	7	8	9	10	1
12	13	14	15	16	17	1
19	20	21	22	23	24	2
26	27	28	29	30		

MAY

S	M	T	W	T	F	S
					1	2
3	4	5	6	7	8	9
10	11	12	13	14	15	16
17	18	19	20	21	22	23
24	25	26	27	28	29	30
31						

JUNE

S	M	T	W	T	F	S
	1	2	3	4	5	6
7	8	9	10	11	12	13
14	15	16	17	18	19	20
21	22	23	24	25	26	27
28	29	30				

JULY

S	M	T	W	T	F	S
			1	2	3	4
5	6	7	8	9	10	11
12	13	14	15	16	17	18
19	20	21	22	23	24	25
26	27	28	29	30	31	

AUGUST

S	M	T	W	T	F	S
						1
2	3	4	5	6	7	8
9	10	11	12	13	14	1
16	17	18	19	20	21	2
23	24	25	26	27	28	2
30	31					

SEPTEMBER

S	M	T	W	T	F	S
		1	2	3	4	5
6	7	8	9	10	11	12
13	14	15	16	17	18	19
20	21	22	23	24	25	26
27	28	29	30			

OCTOBER

S	M	T	W	T	F	S
				1	2	3
4	5	6	7	8	9	10
11	12	13	14	15	16	17
18	19	20	21	22	23	24
25	26	27	28	29	30	31

NOVEMBER

S	M	T	W	T	F	S
1	2	3	4	5	6	7
8	9	10	11	12	13	14
15	16	17	18	19	20	21
22	23	24	25	26	27	28
29	30					

DECEMBER

S	M	T	W	T	F	S
		1	2	3	4	5
6	7	8	9	10	11	1
13	14	15	16	17	18	1
20	21	22	23	24	25	2
27	28	29	30	31		

2027

JANUARY

S	M	T	W	T	F	S
					1	2
3	4	5	6	7	8	9
10	11	12	13	14	15	16
17	18	19	20	21	22	23
24	25	26	27	28	29	30
31						

FEBRUARY

S	M	T	W	T	F	S
	1	2	3	4	5	6
7	8	9	10	11	12	13
14	15	16	17	18	19	20
21	22	23	24	25	26	27
28						

MARCH

S	M	T	W	T	F	S
	1	2	3	4	5	6
7	8	9	10	11	12	13
14	15	16	17	18	19	20
21	22	23	24	25	26	27
28	29	30	31			

APRIL

S	M	T	W	T	F	S
				1	2	3
4	5	6	7	8	9	1
11	12	13	14	15	16	1
18	19	20	21	22	23	2
25	26	27	28	29	30	

MAY

S	M	T	W	T	F	S
						1
2	3	4	5	6	7	8
9	10	11	12	13	14	15
16	17	18	19	20	21	22
23	24	25	26	27	28	29
30	31					

JUNE

S	M	T	W	T	F	S
		1	2	3	4	5
6	7	8	9	10	11	12
13	14	15	16	17	18	19
20	21	22	23	24	25	26
27	28	29	30			

JULY

S	M	T	W	T	F	S
				1	2	3
4	5	6	7	8	9	10
11	12	13	14	15	16	17
18	19	20	21	22	23	24
25	26	27	28	29	30	31

AUGUST

S	M	T	W	T	F	S
1	2	3	4	5	6	7
8	9	10	11	12	13	1
15	16	17	18	19	20	2
22	23	24	25	26	27	2
29	30	31				

SEPTEMBER

S	M	T	W	T	F	S
			1	2	3	4
5	6	7	8	9	10	11
12	13	14	15	16	17	18
19	20	21	22	23	24	25
26	27	28	29	30		

OCTOBER

S	M	T	W	T	F	S
					1	2
3	4	5	6	7	8	9
10	11	12	13	14	15	16
17	18	19	20	21	22	23
24	25	26	27	28	29	30
31						

NOVEMBER

S	M	T	W	T	F	S
	1	2	3	4	5	6
7	8	9	10	11	12	13
14	15	16	17	18	19	20
21	22	23	24	25	26	27
28	29	30				

DECEMBER

S	M	T	W	T	F	S
			1	2	3	4
5	6	7	8	9	10	1
12	13	14	15	16	17	1
19	20	21	22	23	24	2
26	27	28	29	30	31	

2028

JANUARY

S	M	T	W	T	F	S
						1
2	3	4	5	6	7	8
9	10	11	12	13	14	15
6	17	18	19	20	21	22
3	24	25	26	27	28	29
0	31					

FEBRUARY

S	M	T	W	T	F	S
		1	2	3	4	5
6	7	8	9	10	11	12
13	14	15	16	17	18	19
20	21	22	23	24	25	26
27	28	29				

MARCH

S	M	T	W	T	F	S
			1	2	3	4
5	6	7	8	9	10	11
12	13	14	15	16	17	18
19	20	21	22	23	24	25
26	27	28	29	30	31	

APRIL

S	M	T	W	T	F	S
						1
2	3	4	5	6	7	8
9	10	11	12	13	14	15
16	17	18	19	20	21	22
23	24	25	26	27	28	29
30						

MAY

S	M	T	W	T	F	S
	1	2	3	4	5	6
7	8	9	10	11	12	13
4	15	16	17	18	19	20
1	22	23	24	25	26	27
8	29	30	31			

JUNE

S	M	T	W	T	F	S
				1	2	3
4	5	6	7	8	9	10
11	12	13	14	15	16	17
18	19	20	21	22	23	24
25	26	27	28	29	30	

JULY

S	M	T	W	T	F	S
						1
2	3	4	5	6	7	8
9	10	11	12	13	14	15
16	17	18	19	20	21	22
23	24	25	26	27	28	29
30	31					

AUGUST

S	M	T	W	T	F	S
		1	2	3	4	5
6	7	8	9	10	11	12
13	14	15	16	17	18	19
20	21	22	23	24	25	26
27	28	29	30	31		

SEPTEMBER

S	M	T	W	T	F	S
					1	2
3	4	5	6	7	8	9
0	11	12	13	14	15	16
7	18	19	20	21	22	23
4	25	26	27	28	29	30

OCTOBER

S	M	T	W	T	F	S
1	2	3	4	5	6	7
8	9	10	11	12	13	14
15	16	17	18	19	20	21
22	23	24	25	26	27	28
29	30	31				

NOVEMBER

S	M	T	W	T	F	S
			1	2	3	4
5	6	7	8	9	10	11
12	13	14	15	16	17	18
19	20	21	22	23	24	25
26	27	28	29	30		

DECEMBER

S	M	T	W	T	F	S
					1	2
3	4	5	6	7	8	9
10	11	12	13	14	15	16
17	18	19	20	21	22	23
24	25	26	27	28	29	30
31						

2029

JANUARY

S	M	T	W	T	F	S
	1	2	3	4	5	6
7	8	9	10	11	12	13
4	15	16	17	18	19	20
1	22	23	24	25	26	27
8	29	30	31			

FEBRUARY

S	M	T	W	T	F	S
				1	2	3
4	5	6	7	8	9	10
11	12	13	14	15	16	17
18	19	20	21	22	23	24
25	26	27	28			

MARCH

S	M	T	W	T	F	S
				1	2	3
4	5	6	7	8	9	10
11	12	13	14	15	16	17
18	19	20	21	22	23	24
25	26	27	28	29	30	31

APRIL

S	M	T	W	T	F	S
1	2	3	4	5	6	7
8	9	10	11	12	13	14
15	16	17	18	19	20	21
22	23	24	25	26	27	28
29	30					

MAY

S	M	T	W	T	F	S
		1	2	3	4	5
6	7	8	9	10	11	12
3	14	15	16	17	18	19
0	21	22	23	24	25	26
7	28	29	30	31		

JUNE

S	M	T	W	T	F	S
					1	2
3	4	5	6	7	8	9
10	11	12	13	14	15	16
17	18	19	20	21	22	23
24	25	26	27	28	29	30

JULY

S	M	T	W	T	F	S
1	2	3	4	5	6	7
8	9	10	11	12	13	14
15	16	17	18	19	20	21
22	23	24	25	26	27	28
29	30	31				

AUGUST

S	M	T	W	T	F	S
			1	2	3	4
5	6	7	8	9	10	11
12	13	14	15	16	17	18
19	20	21	22	23	24	25
26	27	28	29	30	31	

SEPTEMBER

S	M	T	W	T	F	S
						1
2	3	4	5	6	7	8
9	10	11	12	13	14	15
6	17	18	19	20	21	22
3	24	25	26	27	28	29
0						

OCTOBER

S	M	T	W	T	F	S
	1	2	3	4	5	6
7	8	9	10	11	12	13
14	15	16	17	18	19	20
21	22	23	24	25	26	27
28	29	30	31			

NOVEMBER

S	M	T	W	T	F	S
				1	2	3
4	5	6	7	8	9	10
11	12	13	14	15	16	17
18	19	20	21	22	23	24
25	26	27	28	29	30	

DECEMBER

S	M	T	W	T	F	S
						1
2	3	4	5	6	7	8
9	10	11	12	13	14	15
16	17	18	19	20	21	22
23	24	25	26	27	28	29
30	31					

SUNDAY	MONDAY	TUESDAY	WEDNESD
26	27	28	29
2	3 Civic Holiday (Canada) Bank Holiday (NSW, SCT, IRL)	4	5
9	10	11	12 ● NEW MOO
16	17	18	19
23/30	24/31 Bank Holiday (31st) (ENG, Wales, NIR)	25	26

HURSDAY	FRIDAY	SATURDAY
0	31	1
	7	8
3	14	15
0	21	22
7	28 ○ FULL MOON	29

AUG

2026

JULY

S	M	T	W	T	F	S
			1	2	3	4
5	6	7	8	9	10	11
12	13	14	15	16	17	18
19	20	21	22	23	24	25
26	27	28	29	30	31	

SEPTEMBER

S	M	T	W	T	F	S
		1	2	3	4	5
6	7	8	9	10	11	12
13	14	15	16	17	18	19
20	21	22	23	24	25	26
27	28	29	30			

SUNDAY	MONDAY	TUESDAY	WEDNESDA
30	31	1	2
6 Father's Day (Australia, NZ)	7 Labor Day (US, Canada)	8	9
13	14	15	16
20 Yom Kippur begins at sundown	21 UN International Day of Peace	22 Autumnal Equinox	23
27	28 King's Birthday (W. Australia)	29	30

SEP 2026

HURSDAY	FRIDAY	SATURDAY
3	4	5
0 ● NEW MOON	11 Patriot Day Rosh Hashanah begins at sundown	12
7	18	19
24	25	26 ○ FULL MOON
	2	3

AUGUST

S	M	T	W	T	F	S
						1
2	3	4	5	6	7	8
9	10	11	12	13	14	15
16	17	18	19	20	21	22
23	24	25	26	27	28	29
30	31					

OCTOBER

S	M	T	W	T	F	S
				1	2	3
4	5	6	7	8	9	10
11	12	13	14	15	16	17
18	19	20	21	22	23	24
25	26	27	28	29	30	31

SUNDAY	MONDAY	TUESDAY	WEDNESD
27	28	29	30
4	5 King's Birthday (Queensland) Labour Day (ACT, NSW, SA)	6	7
11	12 Columbus Day Indigenous Peoples' Day Thanksgiving (Canada)	13	14
18	19	20	21
25 British Summer Time ends	26 Labour Day (New Zealand) Bank Holiday (IRL) ○ FULL MOON	27	28

HURSDAY	FRIDAY	SATURDAY
	2	3
	9	10 ● NEW MOON
5	16	17
22	23	24
29	30	31 Halloween

OCT

2026

SEPTEMBER

S	M	T	W	T	F	S
		1	2	3	4	5
6	7	8	9	10	11	12
13	14	15	16	17	18	19
20	21	22	23	24	25	26
27	28	29	30			

NOVEMBER

S	M	T	W	T	F	S
1	2	3	4	5	6	7
8	9	10	11	12	13	14
15	16	17	18	19	20	21
22	23	24	25	26	27	28
29	30					

SUNDAY	MONDAY	TUESDAY	WEDNESD
1 All Saints' Day Daylight Saving ends	2	3 Election Day	4
8 Remembrance Sunday (UK) Diwali	9 ● NEW MOON	10	11 Veterans Day Remembrance D (CAN, AUS, NZ)
15	16	17	18
22	23	24 ○ FULL MOON	25
29	30 St. Andrew's Day (Scotland)	1	2

HURSDAY	FRIDAY	SATURDAY
5 Guy Fawkes Day (UK)	6	7
2	13	14
9	20	21
26 Thanksgiving	27	28
3	4	5

NOV

2026

OCTOBER

S	M	T	W	T	F	S
				1	2	3
4	5	6	7	8	9	10
11	12	13	14	15	16	17
18	19	20	21	22	23	24
25	26	27	28	29	30	31

DECEMBER

S	M	T	W	T	F	S
		1	2	3	4	5
6	7	8	9	10	11	12
13	14	15	16	17	18	19
20	21	22	23	24	25	26
27	28	29	30	31		

SUNDAY	MONDAY	TUESDAY	WEDNESDA
29	30	1	2
6	7 Pearl Harbor Remembrance Day	8 ● NEW MOON	9
13	14	15	16
20	21 Winter Solstice	22	23 ○ FULL MOON
27	28 Boxing Day (observed) (CAN, UK, AUS, NZ) St. Stephen's Day (observed) (IRL)	29	30

DEC 2026

THURSDAY	FRIDAY	SATURDAY
3	4 Hanukkah begins at sundown	5
10	11	12
17	18	19
24	25 Christmas	26 Boxing Day (CAN, UK, AUS, NZ) Kwanzaa begins St. Stephen's Day (Ireland)
31	1	2

NOVEMBER

S	M	T	W	T	F	S
1	2	3	4	5	6	7
8	9	10	11	12	13	14
15	16	17	18	19	20	21
22	23	24	25	26	27	28
29	30					

JANUARY 2027

S	M	T	W	T	F	S
					1	2
3	4	5	6	7	8	9
10	11	12	13	14	15	16
17	18	19	20	21	22	23
24	25	26	27	28	29	30
31						

SUNDAY	MONDAY	TUESDAY	WEDNESDA
27 	28	29	30
3	4 Bank Holiday (Scotland)	5	6
10	11	12	13
17	18 Martin Luther King Jr.'s Birthday (observed)	19	20
24/31	25	26 Australia Day	27

THURSDAY	FRIDAY	SATURDAY
31	1 New Year's Day	2 2nd January (Scotland)
7 ● NEW MOON	8	9
14	15 Martin Luther King Jr.'s Birthday	16
21	22 ○ FULL MOON	23
28	29	30

JAN

2027

DECEMBER 2026

S	M	T	W	T	F	S
		1	2	3	4	5
6	7	8	9	10	11	12
13	14	15	16	17	18	19
20	21	22	23	24	25	26
27	28	29	30	31		

FEBRUARY

S	M	T	W	T	F	S
	1	2	3	4	5	6
7	8	9	10	11	12	13
14	15	16	17	18	19	20
21	22	23	24	25	26	27
28						

SUNDAY	MONDAY	TUESDAY	WEDNESDA
31 	1 St. Brigid's Day (Ireland)	2 Groundhog Day	3
7 Ramadan begins at sundown	8 Waitangi Day (observed) (New Zealand)	9 Shrove Tuesday	10 Ash Wednesday
14 Valentine's Day	15 Presidents' Day	16	17
21	22 Washington's Birthday	23	24
28	1	2	3

THURSDAY	FRIDAY	SATURDAY
4	5	6 Waitangi Day (New Zealand) Lunar New Year ● NEW MOON
1	12 Lincoln's Birthday	13
8	19	20 ○ FULL MOON
25	26	27
4	5	6

FEB

2027

JANUARY

S	M	T	W	T	F	S
					1	2
3	4	5	6	7	8	9
10	11	12	13	14	15	16
17	18	19	20	21	22	23
24	25	26	27	28	29	30
31						

MARCH

S	M	T	W	T	F	S
	1	2	3	4	5	6
7	8	9	10	11	12	13
14	15	16	17	18	19	20
21	22	23	24	25	26	27
28	29	30	31			

SUNDAY	MONDAY	TUESDAY	WEDNESDA
28	1 Labour Day (W. Australia)	2	3
7 Mothering Sunday (UK, IRL)	8 International Women's Day Commonwealth Day (CAN, UK, AUS) Canberra Day (ACT) Labour Day (Victoria) ● NEW MOON	9 Eid al-Fitr begins at sundown	10
14 Daylight Saving begins	15	16	17 St. Patrick's Day
21 Palm Sunday	22 ○ FULL MOON	23	24
28 Easter Sunday British Summer Time begins	29 Easter Monday (CAN, ENG, NIR, IRL, Wales, AUS, NZ)	30	31

HURSDAY	FRIDAY	SATURDAY
4	5	6
1	12	13
8	19	20 Vernal Equinox
25 Holy Thursday (Ireland)	26 Good Friday	27
	2	3

MAR

2027

FEBRUARY

S	M	T	W	T	F	S
	1	2	3	4	5	6
7	8	9	10	11	12	13
14	15	16	17	18	19	20
21	22	23	24	25	26	27
28						

APRIL

S	M	T	W	T	F	S
				1	2	3
4	5	6	7	8	9	10
11	12	13	14	15	16	17
18	19	20	21	22	23	24
25	26	27	28	29	30	

SUNDAY	MONDAY	TUESDAY	WEDNESDA
28	29	30	31
4	5	6 ● NEW MOON	7
11	12	13	14
18	19	20 ○ FULL MOON	21 Passover begins at sundown
25 ANZAC Day (Australia, NZ)	26 ANZAC Day (observed) (Australia, NZ)	27	28

THURSDAY	FRIDAY	SATURDAY
1	2	3
8	9	10
15	16	17
22 Earth Day	23	24
29 Passover ends at sundown	30 Arbor Day	1

APR

2027

MARCH

S	M	T	W	T	F	S
	1	2	3	4	5	6
7	8	9	10	11	12	13
14	15	16	17	18	19	20
21	22	23	24	25	26	27
28	29	30	31			

MAY

S	M	T	W	T	F	S
						1
2	3	4	5	6	7	8
9	10	11	12	13	14	15
16	17	18	19	20	21	22
23	24	25	26	27	28	29
30	31					

SUNDAY	MONDAY	TUESDAY	WEDNESDA
25 	26	27	28
2	3 Bank Holiday (UK, IRL) Labour Day (Queensland) Holocaust Remembrance Day begins at sundown	4	5
9 Mother's Day (US, CAN, AUS, NZ)	10	11	12
16 Eid al-Adha begins at sundown	17	18	19
23/30	24/31 Victoria Day (24th) (Canada) Memorial Day (31st) Bank Holiday (31st) (UK)	25	26

MAY

2027

THURSDAY	FRIDAY	SATURDAY
29	30	1 May Day
6 ● NEW MOON	7	8
13	14	15 Armed Forces Day
20 ○ FULL MOON	21	22
27	28	29

APRIL

S	M	T	W	T	F	S
				1	2	3
4	5	6	7	8	9	10
11	12	13	14	15	16	17
18	19	20	21	22	23	24
25	26	27	28	29	30	

JUNE

S	M	T	W	T	F	S
		1	2	3	4	5
6	7	8	9	10	11	12
13	14	15	16	17	18	19
20	21	22	23	24	25	26
27	28	29	30			

SUNDAY	MONDAY	TUESDAY	WEDNESDA
30	31	1	2
6	7 King's Birthday (New Zealand) Bank Holiday (Ireland)	8	9
13	14 Flag Day King's Birthday (Australia)	15	16
20 Father's Day (US, CAN, UK, IRL)	21 Summer Solstice	22	23
27	28	29	30

THURSDAY	FRIDAY	SATURDAY
3	4 ● NEW MOON	5
10	11	12
17	18 ○ FULL MOON	19 Juneteenth King's Birthday (UK)
24	25	26
1	2	3

JUN

2027

MAY

S	M	T	W	T	F	S
						1
2	3	4	5	6	7	8
9	10	11	12	13	14	15
16	17	18	19	20	21	22
23	24	25	26	27	28	29
30	31					

JULY

S	M	T	W	T	F	S
				1	2	3
4	5	6	7	8	9	10
11	12	13	14	15	16	17
18	19	20	21	22	23	24
25	26	27	28	29	30	31

SUNDAY	MONDAY	TUESDAY	WEDNESDA
27 	28	29	30
4 Independence Day	5	6	7
11	12 Battle of the Boyne (Northern Ireland)	13	14
18 ○ FULL MOON	19	20	21
25	26	27	28

JUL

2027

THURSDAY	FRIDAY	SATURDAY
1 Canada Day	2	3 ● NEW MOON
8	9	10
15	16	17
22	23	24
29	30	31

JUNE

S	M	T	W	T	F	S
		1	2	3	4	5
6	7	8	9	10	11	12
13	14	15	16	17	18	19
20	21	22	23	24	25	26
27	28	29	30			

AUGUST

S	M	T	W	T	F	S
1	2	3	4	5	6	7
8	9	10	11	12	13	14
15	16	17	18	19	20	21
22	23	24	25	26	27	28
29	30	31				

SUNDAY	MONDAY	TUESDAY	WEDNESDA
1 	2 Civic Holiday (Canada) Bank Holiday (NSW, SCT, IRL) ● NEW MOON	3	4
8	9	10	11
15	16	17 ○ FULL MOON	18
22	23	24	25
29	30 Bank Holiday (ENG, Wales, NIR)	31 ● NEW MOON	1

AUG 2027

THURSDAY	FRIDAY	SATURDAY
5	6	7
12	13	14
19	20	21
26	27	28
2	3	4

JULY

S	M	T	W	T	F	S
				1	2	3
4	5	6	7	8	9	10
11	12	13	14	15	16	17
18	19	20	21	22	23	24
25	26	27	28	29	30	31

SEPTEMBER

S	M	T	W	T	F	S
			1	2	3	4
5	6	7	8	9	10	11
12	13	14	15	16	17	18
19	20	21	22	23	24	25
26	27	28	29	30		

SUNDAY	MONDAY	TUESDAY	WEDNESDAY
29 	30	31	1
5 Father's Day (Australia, NZ)	6 Labor Day (US, Canada)	7	8
12	13	14	15 ○ FULL MOON
19	20	21 UN International Day of Peace	22
26	27 King's Birthday (W. Australia)	28	29 ● NEW MOON

SEP 2027

THURSDAY	FRIDAY	SATURDAY
2	3	4
9	10	11 Patriot Day
16	17	18
23 Autumnal Equinox	24	25
30	1	2

AUGUST

S	M	T	W	T	F	S
1	2	3	4	5	6	7
8	9	10	11	12	13	14
15	16	17	18	19	20	21
22	23	24	25	26	27	28
29	30	31				

OCTOBER

S	M	T	W	T	F	S
					1	2
3	4	5	6	7	8	9
10	11	12	13	14	15	16
17	18	19	20	21	22	23
24	25	26	27	28	29	30
31						

SUNDAY	MONDAY	TUESDAY	WEDNESDAY
26 	27	28	29
3	4 King's Birthday (Queensland) Labour Day (ACT, NSW, SA)	5	6
10 Yom Kippur begins at sundown	11 Columbus Day Indigenous Peoples' Day Thanksgiving (Canada)	12	13
17	18	19	20
24/31 Halloween (31st) British Summer Time ends (31st)	25 Labour Day (New Zealand) Bank Holiday (Ireland)	26	27

OCT 2027

THURSDAY	FRIDAY	SATURDAY
30	1 Rosh Hashanah begins at sundown	2
7	8	9
14	15 ○ FULL MOON	16
21	22	23
28	29 Diwali ● NEW MOON	30

SEPTEMBER

S	M	T	W	T	F	S
			1	2	3	4
5	6	7	8	9	10	11
12	13	14	15	16	17	18
19	20	21	22	23	24	25
26	27	28	29	30		

NOVEMBER

S	M	T	W	T	F	S
	1	2	3	4	5	6
7	8	9	10	11	12	13
14	15	16	17	18	19	20
21	22	23	24	25	26	27
28	29	30				

SUNDAY	MONDAY	TUESDAY	WEDNESDAY
31 	1 All Saints' Day	2 Election Day	3
7 Daylight Saving ends	8	9	10
14 Remembrance Sunday (UK)	15	16	17
21	22	23	24
28	29	30 St. Andrew's Day (Scotland)	1

NOV 2027

THURSDAY	FRIDAY	SATURDAY
4	5 Guy Fawkes Day (UK)	6
11 Veterans Day Remembrance Day (CAN, AUS, NZ)	12	13 ○ FULL MOON
18	19	20
25 Thanksgiving	26	27 ● NEW MOON
2	3	4

OCTOBER

S	M	T	W	T	F	S
					1	2
3	4	5	6	7	8	9
10	11	12	13	14	15	16
17	18	19	20	21	22	23
24	25	26	27	28	29	30
31						

DECEMBER

S	M	T	W	T	F	S
			1	2	3	4
5	6	7	8	9	10	11
12	13	14	15	16	17	18
19	20	21	22	23	24	25
26	27	28	29	30	31	

SUNDAY	MONDAY	TUESDAY	WEDNESDA
28	29	30	1
5	6	7 Pearl Harbor Remembrance Day	8
12	13 ○ FULL MOON	14	15
19	20	21 Winter Solstice	22
26 Boxing Day (CAN, UK, AUS, NZ) Kwanzaa begins St. Stephen's Day (Ireland)	27 Bank Holiday (CAN, UK, IRL, AUS, NZ) ● NEW MOON	28 Boxing Day (observed) (CAN, UK, AUS, NZ) St. Stephen's Day (observed) (IRL)	29

THURSDAY	FRIDAY	SATURDAY
2	3	4
9	10	11
16	17	18
23	24 Hanukkah begins at sundown	25 Christmas
30	31	1

DEC 2027

NOVEMBER

S	M	T	W	T	F	S
	1	2	3	4	5	6
7	8	9	10	11	12	13
14	15	16	17	18	19	20
21	22	23	24	25	26	27
28	29	30				

JANUARY 2028

S	M	T	W	T	F	S
						1
2	3	4	5	6	7	8
9	10	11	12	13	14	15
16	17	18	19	20	21	22
23	24	25	26	27	28	29
30	31					

SUNDAY	MONDAY	TUESDAY	WEDNESDA
26 	27	28	29
2 2nd January (Scotland)	3 Bank Holiday (UK, Ireland)	4 Bank Holiday (Scotland)	5
9	10	11 ○ FULL MOON	12
16	17 Martin Luther King Jr.'s Birthday (observed)	18	19
23/30	24/31	25	26 Lunar New Year Australia Day ● NEW MOON

JAN 2028

THURSDAY	FRIDAY	SATURDAY
30	31	1 New Year's Day
6	7	8
13	14	15 Martin Luther King Jr.'s Birthday
20	21	22
27 Ramadan begins at sundown	28	29

DECEMBER 2027

S	M	T	W	T	F	S
			1	2	3	4
5	6	7	8	9	10	11
12	13	14	15	16	17	18
19	20	21	22	23	24	25
26	27	28	29	30	31	

FEBRUARY

S	M	T	W	T	F	S
		1	2	3	4	5
6	7	8	9	10	11	12
13	14	15	16	17	18	19
20	21	22	23	24	25	26
27	28	29				

SUNDAY	MONDAY	TUESDAY	WEDNESDA
30 	31	1 St. Brigid's Day (Ireland)	2 Groundhog Day
6 Waitangi Day (New Zealand)	7 Waitangi Day (observed) (New Zealand) St. Brigid's Day (observed) (Ireland)	8	9
13	14 Valentine's Day	15	16
20	21 Presidents' Day	22 Washington's Birthday	23
27	28	29 Shrove Tuesday	1

FEB 2028

THURSDAY	FRIDAY	SATURDAY
3	4	5
0 ○ FULL MOON	11	12 Lincoln's Birthday
7	18	19
24	25 ● NEW MOON	26 Eid al-Fitr begins at sundown
2	3	4

JANUARY

S	M	T	W	T	F	S
						1
2	3	4	5	6	7	8
9	10	11	12	13	14	15
16	17	18	19	20	21	22
23	24	25	26	27	28	29
30	31					

MARCH

S	M	T	W	T	F	S
			1	2	3	4
5	6	7	8	9	10	11
12	13	14	15	16	17	18
19	20	21	22	23	24	25
26	27	28	29	30	31	

SUNDAY	MONDAY	TUESDAY	WEDNESDA
27 	28	29	1 Ash Wednesday
5	6 Labour Day (W. Australia)	7	8 International Women's Day
12 Daylight Saving begins	13 Commonwealth Day (CAN, UK, AUS) Canberra Day (ACT) Labour Day (Victoria)	14	15
19 Vernal Equinox	20	21	22
26 British Summer Time begins Mothering Sunday (UK, IRL) ● NEW MOON	27	28	29

HURSDAY	FRIDAY	SATURDAY
2	3	4
9	10 ○ FULL MOON	11
6	17 St. Patrick's Day	18
23	24	25
30	31	1

MAR

2028

FEBRUARY

S	M	T	W	T	F	S
		1	2	3	4	5
6	7	8	9	10	11	12
13	14	15	16	17	18	19
20	21	22	23	24	25	26
27	28	29				

APRIL

S	M	T	W	T	F	S
						1
2	3	4	5	6	7	8
9	10	11	12	13	14	15
16	17	18	19	20	21	22
23	24	25	26	27	28	29
30						

SUNDAY	MONDAY	TUESDAY	WEDNESDA
26 	27	28	29
2	3	4	5
9 Palm Sunday ○ FULL MOON	10 Passover begins at sundown	11	12
16 Easter Sunday	17 Easter Monday (CAN, ENG, NIR, IRL, Wales, AUS, NZ)	18 Passover ends at sundown	19
23/30 Holocaust Remembrance Day begins at sundown (23rd)	24 ● NEW MOON	25 ANZAC Day (Australia, NZ)	26

THURSDAY	FRIDAY	SATURDAY
30	31	1
6	7	8
13 Holy Thursday (Ireland)	14 Good Friday	15
20	21	22 Earth Day
27	28 Arbor Day	29

APR 2028

MARCH

S	M	T	W	T	F	S
			1	2	3	4
5	6	7	8	9	10	11
12	13	14	15	16	17	18
19	20	21	22	23	24	25
26	27	28	29	30	31	

MAY

S	M	T	W	T	F	S
	1	2	3	4	5	6
7	8	9	10	11	12	13
14	15	16	17	18	19	20
21	22	23	24	25	26	27
28	29	30	31			

SUNDAY	MONDAY	TUESDAY	WEDNESDA
30 	1 May Day Bank Holiday (UK, IRL) Labour Day (Queensland)	2	3
7	8 ○ FULL MOON	9	10
14 Mother's Day (US, CAN, AUS, NZ)	15	16	17
21	22 Victoria Day (Canada)	23	24 ● NEW MOON
28	29 Memorial Day Bank Holiday (UK)	30	31

MAY 2028

THURSDAY	FRIDAY	SATURDAY
4 Eid al-Adha egins at sundown	5	6
1	12	13
8	19	20 Armed Forces Day
25	26	27
	2	3

APRIL

S	M	T	W	T	F	S
						1
2	3	4	5	6	7	8
9	10	11	12	13	14	15
16	17	18	19	20	21	22
23	24	25	26	27	28	29
30						

JUNE

S	M	T	W	T	F	S
				1	2	3
4	5	6	7	8	9	10
11	12	13	14	15	16	17
18	19	20	21	22	23	24
25	26	27	28	29	30	

SUNDAY	MONDAY	TUESDAY	WEDNESDA
28 	29	30	31
4	5 King's Birthday (New Zealand) Bank Holiday (Ireland)	6	7 ○ FULL MOON
11	12 King's Birthday (AUS, W. AUS)	13	14 Flag Day
18 Father's Day (US, CAN, UK, IRL)	19 Juneteenth	20 Summer Solstice	21
25	26	27	28

JUN 2028

HURSDAY	FRIDAY	SATURDAY
	2	3
	9	10
5	16	17 King's Birthday (UK)
2 NEW MOON	23	24
9	30	1

MAY

S	M	T	W	T	F	S
	1	2	3	4	5	6
7	8	9	10	11	12	13
14	15	16	17	18	19	20
21	22	23	24	25	26	27
28	29	30	31			

JULY

S	M	T	W	T	F	S
						1
2	3	4	5	6	7	8
9	10	11	12	13	14	15
16	17	18	19	20	21	22
23	24	25	26	27	28	29
30	31					

SUNDAY	MONDAY	TUESDAY	WEDNESD
25 	26	27	28
2	3	4 Independence Day	5
9	10	11	12 Battle of the Boy (Northern Irelan
16	17	18	19
23/30	24/31	25	26

HURSDAY	FRIDAY	SATURDAY
9	30	1 Canada Day
FULL MOON	7	8
3	14	15
0	21 ● NEW MOON	22
7	28	29

JUL 2028

JUNE

S	M	T	W	T	F	S
				1	2	3
4	5	6	7	8	9	10
11	12	13	14	15	16	17
18	19	20	21	22	23	24
25	26	27	28	29	30	

AUGUST

S	M	T	W	T	F	S
		1	2	3	4	5
6	7	8	9	10	11	12
13	14	15	16	17	18	19
20	21	22	23	24	25	26
27	28	29	30	31		

SUNDAY	MONDAY	TUESDAY	WEDNESD
30 	31	1	2
6	7 Civic Holiday (Canada) Bank Holiday (NSW, SCT, IRL)	8	9
13	14	15	16
20 ● NEW MOON	21	22	23
27	28 Bank Holiday (ENG, Wales, NIR)	29	30

HURSDAY	FRIDAY	SATURDAY
3	4	5 ○ FULL MOON
10	11	12
17	18	19
24	25	26
31	1	2

AUG

2028

JULY

S	M	T	W	T	F	S
						1
2	3	4	5	6	7	8
9	10	11	12	13	14	15
16	17	18	19	20	21	22
23	24	25	26	27	28	29
30	31					

SEPTEMBER

S	M	T	W	T	F	S
					1	2
3	4	5	6	7	8	9
10	11	12	13	14	15	16
17	18	19	20	21	22	23
24	25	26	27	28	29	30

SUNDAY	MONDAY	TUESDAY	WEDNESD
27 	28	29	30
3 Father's Day (Australia, NZ) ○ FULL MOON	4 Labor Day (US, Canada)	5	6
10	11 Patriot Day	12	13
17	18 ● NEW MOON	19	20 Rosh Hashanah begins at sundov
24	25	26	27

HURSDAY	FRIDAY	SATURDAY
31	1	2
7	8	9
4	15	16
1 N International Day of Peace	22 Autumnal Equinox	23
8	29 Yom Kippur begins at sundown	30

SEP

2028

AUGUST

S	M	T	W	T	F	S
		1	2	3	4	5
6	7	8	9	10	11	12
13	14	15	16	17	18	19
20	21	22	23	24	25	26
27	28	29	30	31		

OCTOBER

S	M	T	W	T	F	S
1	2	3	4	5	6	7
8	9	10	11	12	13	14
15	16	17	18	19	20	21
22	23	24	25	26	27	28
29	30	31				

SUNDAY	MONDAY	TUESDAY	WEDNESD
1 	2 King's Birthday (Queensland) Labour Day (ACT, NSW, SA)	3 ○ FULL MOON	4
8	9 Columbus Day Indigenous Peoples' Day Thanksgiving (Canada)	10	11
15	16	17 Diwali ● NEW MOON	18
22	23 Labour Day (New Zealand)	24	25
29 British Summer Time ends	30 Bank Holiday (Ireland)	31 Halloween	1

HURSDAY	FRIDAY	SATURDAY
	6	7
2	13	14
9	20	21
6	27	28
	3	4

OCT 2028

SEPTEMBER

S	M	T	W	T	F	S
					1	2
3	4	5	6	7	8	9
10	11	12	13	14	15	16
17	18	19	20	21	22	23
24	25	26	27	28	29	30

NOVEMBER

S	M	T	W	T	F	S
			1	2	3	4
5	6	7	8	9	10	11
12	13	14	15	16	17	18
19	20	21	22	23	24	25
26	27	28	29	30		

SUNDAY	MONDAY	TUESDAY	WEDNESD
29 	30	31	1 All Saints' Day
5 Daylight Saving ends Guy Fawkes Day (UK)	6	7 Election Day	8
12 Remembrance Sunday (UK)	13	14	15
19	20	21	22
26	27	28	29

IURSDAY	FRIDAY	SATURDAY
FULL MOON	3	4
	10	11 Veterans Day Remembrance Day (CAN, AUS, NZ)
5 NEW MOON	17	18
3 hanksgiving	24	25
0 Andrew's Day (Scotland)	1	2

NOV

2028

OCTOBER

S	M	T	W	T	F	S
1	2	3	4	5	6	7
8	9	10	11	12	13	14
15	16	17	18	19	20	21
22	23	24	25	26	27	28
29	30	31				

DECEMBER

S	M	T	W	T	F	S
					1	2
3	4	5	6	7	8	9
10	11	12	13	14	15	16
17	18	19	20	21	22	23
24	25	26	27	28	29	30
31						

SUNDAY	MONDAY	TUESDAY	WEDNESD
26 	27	28	29
3	4	5	6
10	11	12 Hanukkah begins at sundown	13
17	18	19	20
24/31 ○ FULL MOON (31st)	25 Christmas	26 Boxing Day (CAN, UK, AUS, NZ) Kwanzaa begins St. Stephen's Day (Ireland)	27

HURSDAY	FRIDAY	SATURDAY
0	1 ○ FULL MOON	2
Pearl Harbor membrance Day	8	9
4	15 ● NEW MOON	16
1 Vinter Solstice	22	23
8	29	30

DEC

2028

NOVEMBER

S	M	T	W	T	F	S
			1	2	3	4
5	6	7	8	9	10	11
12	13	14	15	16	17	18
19	20	21	22	23	24	25
26	27	28	29	30		

JANUARY 2029

S	M	T	W	T	F	S
	1	2	3	4	5	6
7	8	9	10	11	12	13
14	15	16	17	18	19	20
21	22	23	24	25	26	27
28	29	30	31			

HOLIDAYS	2026	2027	2028
New Year's Day	Jan. 1	Jan. 1	Jan. 1
2nd January (Scotland)	Jan. 2	Jan. 2	Jan. 2
Bank Holiday (UK, Ireland)	–	–	Jan. 3
Bank Holiday (Scotland)	–	Jan. 4	Jan. 4
Martin Luther King Jr.'s Birthday	Jan. 15	Jan. 15	Jan. 15
Martin Luther King Jr.'s Birthday (observed)	Jan. 19	Jan. 18	Jan. 17
Australia Day	Jan. 26	Jan. 26	Jan. 26
St. Brigid's Day (Ireland)	Feb. 2	Feb. 1	Feb. 1
Groundhog Day	Feb. 2	Feb. 2	Feb. 2
Waitangi Day (New Zealand)	Feb. 6	Feb. 6	Feb. 6
Waitangi Day (New Zealand) (observed)	–	Feb. 8	Feb. 7
Lincoln's Birthday	Feb. 12	Feb. 12	Feb. 12
Valentine's Day	Feb. 14	Feb. 14	Feb. 14
Presidents' Day	Feb. 16	Feb. 15	Feb. 21
Lunar New Year	Feb. 17	Feb. 6	Jan. 26
Ramadan begins at sundown	Feb. 17	Feb. 7	Jan. 27
Shrove Tuesday	Feb. 17	Feb. 9	Feb. 29
Ash Wednesday	Feb. 18	Feb. 10	Mar. 1
Washington's Birthday	Feb. 22	Feb. 22	Feb. 22
Labour Day (W. Australia)	Mar. 2	Mar. 1	Mar. 6
International Women's Day	Mar. 8	Mar. 8	Mar. 8
Daylight Saving begins	Mar. 8	Mar. 14	Mar. 12
Commonwealth Day (CAN, UK, AUS)	Mar. 9	Mar. 8	Mar. 13
Canberra Day (ACT)	Mar. 9	Mar. 8	Mar. 13
Labour Day (Victoria)	Mar. 9	Mar. 8	Mar. 13
Mothering Sunday (UK, IRL)	Mar. 15	Mar. 7	Mar. 26
St. Patrick's Day	Mar. 17	Mar. 17	Mar. 17
Eid al-Fitr begins at sundown	Mar. 19	Mar. 9	Feb. 26
Vernal Equinox	Mar. 20	Mar. 20	Mar. 19
Palm Sunday	Mar. 29	Mar. 21	Apr. 9
British Summer Time begins	Mar. 29	Mar. 28	Mar. 26
Passover begins at sundown	Apr. 1	Apr. 21	Apr. 10
Holy Thursday (Ireland)	Apr. 2	Mar. 25	Apr. 13
Good Friday	Apr. 3	Mar. 26	Apr. 14

HOLIDAYS	2026	2027	2028
Easter Sunday	Apr. 5	Mar. 28	Apr. 16
Easter Monday (CAN, ENG, Wales, NIR, IRL, AUS, NZ)	Apr. 6	Mar. 29	Apr. 17
Passover ends at sundown	Apr. 9	Apr. 29	Apr. 18
Holocaust Remembrance Day begins at sundown	Apr. 13	May 3	Apr. 23
Earth Day	Apr. 22	Apr. 22	Apr. 22
Arbor Day	Apr. 24	Apr. 30	Apr. 28
ANZAC Day (Australia, NZ)	Apr. 25	Apr. 25	Apr. 25
May Day	May 1	May 1	May 1
Bank Holiday (UK, IRL)	May 4	May 3	May 1
Labour Day (Queensland)	May 4	May 3	May 1
Mother's Day (US, CAN, AUS, NZ)	May 10	May 9	May 14
Armed Forces Day	May 16	May 15	May 20
Victoria Day (Canada)	May 18	May 24	May 22
Bank Holiday (UK)	May 25	May 31	May 29
Memorial Day	May 25	May 31	May 29
Eid al-Adha begins at sundown	May 26	May 16	May 4
King's Birthday (New Zealand)	Jun. 1	Jun. 7	Jun. 5
Bank Holiday (Ireland)	Jun. 1	Jun. 7	Jun. 5
King's Birthday (Australia)	Jun. 8	Jun. 14	Jun. 12
King's Birthday (UK)	Jun. 13	Jun. 19	Jun. 17
Flag Day	Jun. 14	Jun. 14	Jun. 14
Juneteenth	Jun. 19	Jun. 19	Jun. 19
Father's Day (US, CAN, UK, IRL)	Jun. 21	Jun. 20	Jun. 18
Summer Solstice	Jun. 21	Jun. 21	Jun. 20
Canada Day	Jul. 1	Jul. 1	Jul. 1
Independence Day	Jul. 4	Jul. 4	Jul. 4
Battle of the Boyne (Northern Ireland)	Jul. 12	Jul. 12	Jul. 12
Bank Holiday (NSW, SCT, IRL)	Aug. 3	Aug. 2	Aug. 7
Civic Holiday (Canada)	Aug. 3	Aug. 2	Aug. 7
Bank Holiday (ENG, Wales, NIR)	Aug. 31	Aug. 30	Aug. 28
Father's Day (Australia, NZ)	Sep. 6	Sep. 5	Sep. 3
Labor Day (US, Canada)	Sep. 7	Sep. 6	Sep. 4
Patriot Day	Sep. 11	Sep. 11	Sep. 11
Rosh Hashanah begins at sundown	Sep. 11	Oct. 1	Sep. 20

HOLIDAYS	2026	2027	2028
Yom Kippur begins at sundown	Sep. 20	Oct. 10	Sep. 29
UN International Day of Peace	Sep. 21	Sep. 21	Sep. 21
Autumnal Equinox	Sep. 22	Sep. 23	Sep. 22
King's Birthday (W. Australia)	Sep. 28	Sep. 27	Jun. 12
King's Birthday (Queensland)	Oct. 5	Oct. 4	Oct. 2
Labour Day (ACT, NSW, SA)	Oct. 5	Oct. 4	Oct. 2
Thanksgiving (Canada)	Oct. 12	Oct. 11	Oct. 9
Columbus Day	Oct. 12	Oct. 11	Oct. 9
Indigenous Peoples' Day	Oct. 12	Oct. 11	Oct. 9
British Summer Time ends	Oct. 25	Oct. 31	Oct. 29
Labour Day (New Zealand)	Oct. 26	Oct. 25	Oct. 23
Bank Holiday (Ireland)	Oct. 26	Oct. 25	Oct. 30
Halloween	Oct. 31	Oct. 31	Oct. 31
All Saints' Day	Nov. 1	Nov. 1	Nov. 1
Daylight Saving ends	Nov. 1	Nov. 7	Nov. 5
Election Day	Nov. 3	Nov. 2	Nov. 7
Guy Fawkes Day (UK)	Nov. 5	Nov. 5	Nov. 5
Diwali	Nov. 8	Oct. 29	Oct. 17
Remembrance Sunday (UK)	Nov. 8	Nov. 14	Nov. 12
Remembrance Day (CAN, AUS, NZ)	Nov. 11	Nov. 11	Nov. 11
Veterans Day	Nov. 11	Nov. 11	Nov. 11
Thanksgiving	Nov. 26	Nov. 25	Nov. 23
St. Andrew's Day (Scotland)	Nov. 30	Nov. 30	Nov. 30
Hanukkah begins at sundown	Dec. 4	Dec. 24	Dec. 12
Pearl Harbor Remembrance Day	Dec. 7	Dec. 7	Dec. 7
Winter Solstice	Dec. 21	Dec. 21	Dec. 21
Christmas	Dec. 25	Dec. 25	Dec. 25
Boxing Day (CAN, UK, AUS, NZ)	Dec. 26	Dec. 26	Dec. 26
Kwanzaa begins	Dec. 26	Dec. 26	Dec. 26
St. Stephen's Day (Ireland)	Dec. 26	Dec. 26	Dec. 26
Bank Holiday (CAN, UK, IRL, AUS, NZ)	–	Dec. 27	–
Boxing Day (observed) (CAN, UK, AUS, NZ)	Dec. 28	Dec. 28	–
St. Stephen's Day (observed) (Ireland)	Dec. 28	Dec. 28	–

Holiday dates accurate at time of printing.